# Un voyage fantastique

Titre original:
*The Journey Home*

Publié en 1989 pour la première édition par
Oxford University Press

Pour Rachel et Daniel

**Alison Lester** est née en Australie et y vit encore
aujourd'hui. Grande sportive, elle aime aussi la
mer, le jardinage, la photographie, la lecture et
surtout, les enfants. C'est en restant chez elle, à la
naissance de son premier bébé, qu'elle a com-
mencé à faire des illustrations. Elle dit que les idées
lui viennent la nuit ou quand elle conduit. Elle les
laisse mûrir dans sa tête, puis, deux ou trois jours
par semaine, elle s'enferme dans son atelier et se
met à dessiner. Elle reconnaît que son travail s'ins-
pire beaucoup de sa vie quotidienne et de
l'observation de ses trois enfants.

Loi n° 49956 du 16 juillet 1949
sur les publications destinées à la jeunesse : novembre 1994

© 1989, Alison Lester

© 1994, éditions Pocket, pour la traduction française
et l'édition au format de poche

ISBN : 2-266-05762-6
Achevé d'imprimer en France
par Pollina, 85400 Luçon - n° 66384
Dépôt légal : novembre 1994

Alison Lester

# Un voyage fantastique

Traduit de l'anglais
par Laurent Muhleisen

POCKET

Un beau jour, Matthieu
et Isabelle creusèrent
dans leur bac à sable

un trou si profond que,
en sautant dedans, ils se
retrouvèrent au pôle Nord.

Ils décidèrent immédiatement
de retrouver le chemin
de la maison.
Ils traversèrent des blocs de
glace froids, glissants, et
passèrent devant des ours
polaires à l'air menaçant.

La première nuit, ils arrivèrent
devant une maison accueillante.

Dans le jardin enneigé
piétinaient des rennes.

— Joyeuses fêtes !
lança le père Noël.
Entrez et installez-vous.

Pour le dîner, Matthieu et
Isabelle mangèrent de la dinde
rôtie et du gâteau aux prunes.
Ils s'amusèrent avec les jouets
de l'année prochaine et finirent
par tomber de sommeil.

Le lendemain, Matthieu et Isabelle quittèrent la plaine couverte de neige, pour s'enfoncer dans une forêt verte et touffue, en suivant un sentier tortueux.

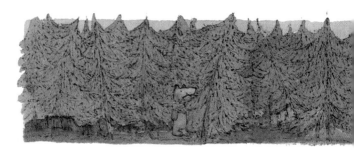

La deuxième nuit, ils arrivèrent
devant un arbre centenaire.
Il y avait des lampions
accrochés aux branches et des
clochettes qui tintaient dans la
brise du soir.

– Quel bon vent vous amène?
plaisanta la bonne fée.
Entrez et installez-vous.

Pour le dîner, elle servit aux
enfants des gâteaux d'ange
et des baisers de sucre.

Ils s'endormirent dans
des lits aussi ouatés
que des nuages.

Le lendemain, Matthieu et Isabelle quittèrent la forêt, la laissant loin derrière eux. Ils traversèrent un pont, descendirent la pente d'une colline, marchèrent au fond d'une large vallée...

19

... et finirent par arriver,
la troisième nuit, devant
un magnifique château fort.
Sous le pont-levis
mugissait un torrent.

– Seigneur Matthieu et Dame
Isabelle! Quelle bonne surprise!
s'écria le prince charmant.
Entrez et installez-vous.

Au dîner, les deux enfants
se régalèrent de délices
à la rhubarbe.
Ils rirent aux éclats devant

les pitreries du bouffon
du roi, puis ils montèrent se
coucher dans la plus haute
chambre du donjon.

23

Le lendemain, Matthieu et Isabelle quittèrent le château. Ils traversèrent un marais humide et boueux, escaladèrent une dune de sable fin, parcoururent une plage balayée par le vent...

... et arrivèrent, la quatrième
nuit, devant un grand rocher
rongé par la pluie et les marées.

Dans une grotte, à l'intérieur,
on pouvait entendre
un chant mélodieux,
accompagné de clapotis.

– Oh! un cadeau de la terre
à la mer, dit la petite sirène
d'une voix chantante.
Entrez et installez-vous.

Les enfants mangèrent
des raisins de mer servis
sur des assiettes de perles.
Ils s'endormirent bercés
par le bruit des vagues.

Le lendemain, Matthieu et
Isabelle quittèrent le rocher.
Ils pataugèrent dans une baie
peu profonde, franchirent un
cap rocheux, et longèrent une
crique bien protégée.

La cinquième nuit,
ils arrivèrent devant un navire
qui grinçait de partout.

Le pavillon, au sommet
du grand mât,
portait une tête de mort.

– Bienvenus, mes gaillards !
s'écria le capitaine des pirates.
Entrez et installez-vous.

Ce soir-là, les enfants
mangèrent du saucisson et des
cornichons. Ils se balancèrent
dans des hamacs et
s'endormirent pendant que le
vaisseau voguait sur l'océan.

Le lendemain, Matthieu et
Isabelle débarquèrent et
s'éloignèrent des côtes.
Ils escaladèrent une colline,
suivirent des traces de roues
tordues et pénétrèrent dans une
forêt où bruissaient les feuilles
des arbres.

La sixième nuit, ils arrivèrent
devant une roulotte et un
cheval. Un filet de fumée
s'échappait d'une cheminée
toute bancale. À travers une
petite fenêtre, on pouvait voir
briller une boule de cristal.

– Je savais que vous
alliez venir, leur dit
la reine des gitans.
Entrez et installez-vous.

Pour le dîner, les enfants eurent
du goulasch et des pommes de
terre en robe des champs.

40

Ils s'endormirent dans des lits
superposés, sous des édredons
multicolores.

Le lendemain, Matthieu et
Isabelle quittèrent la roulotte,
parcoururent des collines rondes,
traversèrent des champs et des
prés, passèrent sous des
barrières, et...

43

... cette nuit-là, la septième, ils arrivèrent devant une maison qu'ils connaissaient bien.

Par la porte ouverte brillait
une lumière bienveillante.

— Enfin, vous êtes de retour!
s'écrièrent leurs parents.
Entrez et restez avec nous.

Les enfants burent un grand bol
de chocolat chaud puis allèrent
se coucher dans leur lit à eux.

C'était bon d'être chez soi.